KB062929

훈장님과 함께 읽는 천자문

(주제별 번역)

도서출판 도반

온고지신

옛것을 탐구하여
새로움을 알아간다

단기사천삼백오십삼년
정월전기에 無性居士

들어가는 글

천자문은 본래 6세기 당시 양나라의 주흥사에 의해 만들어 졌으며 4자 1구로 모두 250구로 이루어졌다. 우리나라에서 는 일찍이 한문 기초교육서로 널리 활용되어 왔던 고전이 다.

 그 내용을 살펴보면 자연의 이치, 인간의 도리와 함께 대륙 의 문화와 역사 그리고 인물, 지명 등 광범위하고 그 뜻도 매우 어렵다. 이에 한자의 익힘과 문자의 뜻을 좀 더 쉽게 풀어서 시대의 흐름에 맞는 재해석을 하였고 목차를 나누어 그 내용을 세분화하여 읽는 이로 하여금 집중도를 높이도록 하였다.

덧붙여 세계화 속 우리들에게 천자문을 포함한 고전 인문학서를 읽는 것은 지난날 한자문화권에서 살아왔던 우리 민족의 역사적 정체성을 재확립하고 21세기 우리 민족의 문화와 역사를 새롭게 창조하여 한류문화의 세계화를 지속시키는 일이다. 그와 동시에 올바른 역사관을 일깨움으로써 주변 국가와의 선린 관계를 주도하며 상생의 협력을 이끌 수 있는 밑바탕이 될 것이라 생각하는 바이다

단기4353년 음력 3월 28일
채비움 서당 훈장 無性 李民炯

우주자연의 이치

[1] 天地玄黃하고
宇宙洪荒이라

본래 하늘은 검고 땅은 누렇고 / 우주는 거
칠고 헤아릴 수 없이 아주 넓다

* 우리가 살고 있는 지구를 포함한 우주의 공간 개념을 말함
天하늘천 地땅지 玄검을현 黃누를황 宇집우 宙집주 洪넓을홍 荒거칠황

[2] 日月盈昃하고
辰宿列張이라

해와 달은 차고 기울기를 반복하고 / 수많
은 별들은 하늘가에 펼쳐져 있다

* 해와 달과 별은 음양(陰陽)과 방위(方位)를 의미함
日날일 月달월 盈찰영 昃기울측 辰별진 宿별숙 列벌릴렬 張베풀장

[3] 寒來暑往 하고
秋收冬藏 이라

차가운 것이 오면 더운 것은 사라지고 / 가을에는 정성껏 거두고 겨울에는 잘 저장한다

* 계절의 이치를 말함
寒찰한 來올래 暑더울서 往갈왕 秋가을추 收거둘수 冬겨울동 藏감출장

[4] 閏餘成歲 하고
律呂調陽 이라

윤달로써 그 한 해를 이뤘고 / 사계절에 맞는 음악을 율과 여로써 연주했다

* 윤달 : 날짜와 계절이 어긋나는 것을 막기 위한 달로써 3년마다 적용함. 양력에서는 4년마다 하루를 2월 달에 보탬
* 율려(律呂) : 상고시대 음악의 12음률 또는 그 음을 내는 악기
* 조양(調陽) : 사계절을 뜻함
閏윤달윤 餘남을여 成이룰성 歲해세 律법률률 呂음률려 調고를조 陽볕양

[5] 雲騰致雨 하고
露結爲霜 이라

수증기가 하늘로 올라가 구름이 되어 비가
내리고 / 공기 중의 수분은 이슬과 서리가
된다

* 땅과 하늘의 공기 순환과정을 말함

雲구름운 騰오를등 致이를치 雨비우 露이슬로 結맺을결 爲할위 霜서리상

[9] 海鹹河淡 하고
鱗潛羽翔 이라

바닷물은 짜고 민물은 담박하고 / 비늘 있
는 것은 물속에 있고 날개 있는 것은 하늘을
난다

* 물맛의 근본과 수생(水生), 비상(飛上)동물을 말함

海바다해 鹹짤함 河물하 淡맑을담 鱗비늘린 潛잠길잠 羽깃우 翔나래상

[119] 年矢每催 하고
羲暉朗耀 이라

세월의 시간은 화살같이 빨라서 인간의 삶을 재촉하고 / 빛나는 태양만이 늘 그 자리에서 온 세상을 밝게 비추인다

※ 변하지 않는 자연의 진리를 통하여 인간의 삶이 유한하고 무상하다는 것을 말함

年해년 矢화살시 每매양매 催재촉최 羲햇빛희 暉빛날휘 朗밝을랑 耀빛날요

13

몸과 마음을 닦다

[26] 景行維賢 하고
克念作聖 이라

참됨을 실천하여 세상을 밝히면 어진 사람이 되고 / 깊이 생각하여 자신을 극복하고 도(道)를 실천하면 성인이 된다

* 어진 사람과 성인처럼 스스로 덕행(德行)을 쌓고 실천해야 함을 말함
景볕경 行다닐행 維오직유 賢어질현 克이길극 念생각념 作지을작 聖성인성

[27] 德建名立 하고
形端表正 이라

사람과 따뜻함을 나누면 명예가 세상에 서고 / 마음속 모습이 단정하면 겉모양도 바르게 된다

* 마음을 잘 닦아서 세상 사람들과 더불어 살아가야 함을 말함
德큰덕 建세울건 名이름명 立설립 形형상형 端단정할단 表겉표 正바를정

16

[28] 空谷傳聲 하고
虛堂習聽 이라

덕(德) 있는 자의 말은 산골짜기 메아리같이 멀리 퍼지고 / 덕이 부족한 자는 빈집에서 작은 소리로 말해도 세상이 들을 수 있다

※ 말이 세상에 퍼져나가는 이치는 군자와 소인이 모두 같아서 한마디의 말도 신중해야 함을 말함

空빌공 谷골곡 傳전할전 聲소리성 虛빌허 堂집당 習익힐습 聽들을청

[29] 禍因惡積 하고
福緣善慶 이라

화는 악한 일이 쌓인 결과이고 / 복은 선량한 일을 실천한 결과이다

※ 화복(禍福)은 스스로 만들어가는 것임을 말함

禍재화화 因인할인 惡악할악 積쌓을적 福복복 緣인연연 善착할선 慶경사경

[30]

尺璧非寶 하고
寸陰是競 이라

크고 값진 보석은 보배가 아니고 / 잠깐의
시간도 다투듯 아끼는 것이 참된 보배이다

* 시간의 소중함을 말함

尺자척 璧구슬벽 非아닐비 寶보배보 寸마디촌 陰그늘음 是이시 競다툴경

[34]

似蘭斯馨 하고
如松之盛 이라

어진 사람은 깊은 계곡의 난초 향과 같고 /
소나무의 무성하고 푸르른 잎과 같다

* 덕을 갖춘 군자를 향기로운 난초 향과 푸른 소나무의 잎으로 비유함

似같을사 蘭난초란 斯이사 馨향기형 如같을여 松소나무송 之갈지 盛성할
성

18

[35] 川流不息 하고
淵澄取暎 이라

어진 사람은 쉼 없이 흐르는 물과 같고 / 맑은 연못에 세상 모든 것을 비추이게 한다

* 어진 사람의 모습과 행동을 물과 연못에 비유함
川내천 流흐를류 不아니불 息쉴식 淵못연 澄맑을징 取취할취 暎비칠영

[37] 篤初誠美 하고
愼終宜令 이라

처음 가졌던 몸과 마음자리가 진실로 아름답고 / 마칠 때까지 마땅히 삼가는 것이다

* 처음으로 작심(作心)하는 올바른 마음 자세를 잃어버리지 말 것을 말함
篤도타울독 初처음초 誠정성성 美아름다울미 愼삼갈신 終마칠종 宜마땅의
令하여금령

[38]　　榮業所基 하니
　　　　籍甚無竟 이라

어짊을 실천하는 것은 바탕을 갖추었기 때
문이니 / 그 명예로움은 끝이 없을 것이다

* 매사(每事)를 잘 해내는 것은 나의 진실한 노력의 결과임을 말함
榮영화로울영 業업업 所바소 基터기 籍호적적 甚심할심 無없을무 竟마칠
경

[47]　　仁慈隱惻 을
　　　　造次弗離 이라

어질고 자애롭고 측은한 마음자리를 / 잠시
라도 떠나서는 안 된다

* 덕(德)을 닦는 사람이 갖추어야 할 마음 자세를 말함
仁어질인 慈사랑자 隱근심할은 惻슬플측 造지을조 次버금차 弗아닐불 離
떠날리

[49] 性靜情逸 하고
　　　心動神疲 이라

성품이 고요하면 마음자리도 편안하고 / 마음자리가 움직이면 정신도 피곤하다

* 마음은 늘 고요하고 평온한 곳이 되어야 함을 말함
性성품성 靜고요할정 情뜻정 逸편안할일 心마음심 動움직일동 神귀신신
疲피곤할피

[50] 守眞志滿 하고
　　　逐物意移 이라

처음 가졌던 참됨을 지키면 뜻이 충만해지고 / 물질만을 쫓으면 처음 품었던 참된 뜻이 변하게 된다

* 군자가 지켜야 할 참된 마음 자세를 말함
守지킬수 眞참진 志뜻지 滿찰만 逐쫓을축 物만물물 意뜻의 移옮길이

[86] 庶幾中庸 이면
勞謙謹勅 이라

치우치지 않는 마음 자세를 갖추려면 / 힘
쓰고 겸손하며 삼가고 경계해야 한다

* 겸손과 삼감은 마음의 중심을 잡는 덕목임
庶거의서 幾얼마기 中가운데중 庸떳떳할용 勞수고로울로 謙겸손할겸 謹삼
갈근 勅삼갈칙

[87] 聆音察理 하고
鑑貌辨色 이라

지혜가 높은 사람은 소리를 들어 이치를 살
피고 / 그 모습을 보고 생각을 분별한다

* 올바른 이치를 듣고 살펴서 실천해야 함을 말함
聆들을령 音소리음 察살필찰 理이치리 鑑거울감 貌모양모 辨분별할변 色
빛색

[88] 貽厥嘉猷 하니
勉其祗植 하라

자손을 위해 진솔한 계획을 전해주니 / 공
경하여 그 뜻을 마음속에 새길 것을 힘써라

* 손윗사람의 뜻을 삼가 공경하는 자세로 받들 것을 말함
貽끼칠이 厥그궐 嘉아름다울가 猷꾀유 勉힘쓸면 其그기 祗공경지 植심을
식

[89] 省躬譏誡 하고
寵增抗極 이라

평소 몸가짐을 살펴서 경계하고 / 임금의
총애가 더하여 극에 달하면 위태로울 것을
근심하라

* 공직을 수행함에 청렴결백(淸廉潔白)한 자세로 나의 주변을 늘 돌아볼 것
을 말함
省살필성 躬몸궁 譏나무랄기 誡경계계 寵사랑할총 增더할증 抗겨룰항 極
다할극

[90]　殆辱近恥 이니
林皐幸即 이라

세상의 위태로움과 욕됨은 수치스런 일들이
가까이 있다는 증거이니 / 물러나서 치욕을
멀리하고 숲속에서 수행하듯 하라

* 위태로움과 수치스런 일에 대비하는 덕(德)을 갖춘 자들의 행동을 말함
殆위태할태 辱욕될욕 近가까울근 恥부끄러울치 林수풀림 皐언덕고 幸다행
행 即나아갈즉

[92]　索居閑處 하니
沈默寂寥 이라

한가로이 살아가니 / 말없이 그저 고요할
뿐이다

* 세상에 대한 욕망과 집착이 사라진 상태를 말함
索한가로울삭 居거할거 閑한가할한 處곳처 沈잠길침 默잠잠할묵 寂고요할
적 寥고요할료

[93] 求古尋論 하고
散慮逍遙 이라

옛 성현의 도를 구하고 찾아서 토론하고 /
잡된 생각 떨쳐내어 세상만사 자유롭다

* 번잡하고 혼란한 세상을 피해 수신(修身)하는 것을 말함
求구할구 古옛고 尋찾을심 論논할론 散흩을산 慮생각려 逍노닐소 遙노닐
요

[94] 欣奏累遣 하니
感謝歡招 이라

기분 좋은 소식 들려오고 나쁜 생각 흩어지
니 / 슬픔은 사라지고 기쁜 일이 찾아온다

* 좋은 때가 찾아올 때까지 착실히 몸과 마음가짐을 갖출 것을 말함
欣기쁠흔 奏아뢸주 累여러루 遣보낼견 感슬플척 謝쇠퇴할사 歡기쁠환 招
부를초

25

[95] 渠荷的歷 하고
園莽抽條 이라

여름에 핀 도랑의 연꽃이 곱고 화사하고 /
동산의 들풀도 줄기와 가지를 뻗어간다

* 덕(德)을 갖춘 선비들이 은둔하여 사는 곳의 풍경을 말함
渠도랑거 荷연꽃하 的과녁적 歷지낼력 園동산원 莽풀망 抽빼낼추 條가지
조

[96] 枇杷晚翠 하며
梧桐早凋 이라

비파나무는 겨울이면 꽃이 피고 푸르며 /
오동나무는 가을이면 제일 먼저 잎이 떨어
진다

* 오동나무의 잎이 가장 먼저 떨어지는 것을 보고 옛사람들은 자신을 희생
하는 군자(君子)로 여겼음. 비파와 오동은 모두 군자를 뜻함
枇비파나무비 杷비파나무파 晚늦을만 翠푸를취 梧오동나무오 桐오동나무
동 부일찍조 凋시들조

[97] 陳根委翳 하고
落葉飄颻 이라

묵은 나무뿌리가 드러난 채 있고 / 떨어지
는 잎새는 이리저리 나부낀다

* 은일(隱逸)한 삶을 황량한 풍경으로 묘사함
陳묵을진 根뿌리근 委맡길위 翳가릴예 落떨어질락 葉잎사귀엽 飄나부낄표
颻나부낄요

[98] 遊鯤獨運 하여
凌摩絳霄 이라

곤어(鯤魚)는 홀로 물속을 헤엄치다가 / 붕
새가 되어서는 붉은 하늘을 마음껏 난다

* 곤(鯤)은 북해(北海)에 사는 고기인데 변하면 붕(鵬)새가 됨. *붕새는 욕망
과 권력 그리고 세속의 탐진치(貪瞋癡)를 벗어난 상징.
遊놀유 鯤곤어곤 獨홀로독 運움직일운 凌업신여길릉 摩만질마 絳붉을강 霄
하늘소

[100] 易輶攸畏 하니
屬耳垣牆 이라

군자는 말을 쉽고 가볍게 하는 것을 두려워
하니 / 누군가 담장에 귀를 붙이고 있음을
명심하라

*항상 말과 행동을 신중히 해야 함

易쉬울이 輶가벼울유 攸바유 畏두려울외 屬속할속 耳귀이 垣담원 牆담장

[101] 具膳飧飯 하니
適口充腸 이라

여러 가지 맛 좋은 반찬을 만들어서 밥을 먹
으니 / 입맛에 맞고 배고픔도 달랜다

* 덕 있는 자들의 소소한 즐거움을 묘사함

具갖출구 膳반찬선 飧밥손 飯밥반 適마침적 口입구 充채울충 腸창자장

[102] 飽飫烹宰 하고
饑厭糟糠 이라

배불리 먹고 나니 잘 익은 고기도 싫증나고 / 굶주리니 술지게미와 쌀겨도 싫지 않다

* 배고픔만을 해결하고 지나친 식탐을 삼가는 덕 있는 자의 음식 문화를 말함

飽배부를포 飫배부를어 烹삶을팽 宰고기재 饑주릴기 厭싫을염, 마음에 들 염(엽) 糟술지개미조 糠겨강

[112] 骸垢想浴 하고
執熱願凉 이라

몸에 때가 있으면 목욕할 것을 생각하고 / 뜨거운 것을 잡으면 차가운 것을 찾게 되는 것이다

* 순리에 맞추어 살아가야 함을 말함

骸뼈해 垢때구 想생각상 浴목욕욕 執잡을집 熱더울열 願원할원 凉서늘할 량

[121] 指薪修祜 하니
       永綏吉邵 이라
풀섶의 타는 불씨처럼 자신을 닦으면 복이
오니 / 오래도록 편안하고 길함이 높아진다

* 섶(땔감)이 불타는 이치와 같이 자신 스스로 덕을 닦고 쌓아야 함을 말함
指가리킬지 薪섶신 修닦을수 祜복우 永길영 綏편안할유 吉길할길 邵높을
소

인간다움을 실천하다

[19] 蓋此身髮 은
四大五常 이라

대체로 나의 몸은 / 사대(하늘, 땅, 임금, 부
모) 와 오상(인, 의, 예, 지, 신)으로 되어 있
다

* 사대(四大) : 하늘, 땅, 임금, 부모 / 불교에서는 땅, 물, 불, 바람으로 해
석함. * 오상(五常) : 인(仁), 의(義), 예(禮), 지(智), 신(信)
蓋대체로개 此이차 身몸신 髮터럭발 四녁사 大큰대 五다섯오 常항상상

[20] 恭惟鞠養 하니
豈敢毀傷 이리오

낳아주시고 길러주신 부모님의 은혜를 생각
하니 / 어찌 나의 몸을 함부로 훼손할 수 있
겠는가

* 부모님의 은혜와 사랑을 반드시 알아야 함을 말함
恭공손할공 惟오직유 鞠기를국 養기를양 豈어찌기 敢감히감 毀헐훼 傷상
할상

[21]
女慕貞烈 하고
男效才良 이라

여자는 올바름을 생각하고 / 남자는 어진
마음을 본받고 힘쓴다

* 상고시대 여성과 남성이 갖추어야 할 생각. 현대 사회에서는 양성평등의
관점으로 해석해야 함
女여자여 慕사모모 貞곧을정 烈밝을렬 男남자남 效본받을효 才재주재 良
어질량

[22]
知過必改 하고
得能莫忘 이라

잘못한 점을 알면 반드시 고치고 / 사람다움
을 실천하면서 참된 것을 잊지 말아야 한다

* 사람은 누구나 잘못할 수 있고 그것을 고치는 과정을 사람다움이라고 말
함
知알지 過허물과 必반드시필 改고칠개 得얻을득 能능할능 莫말막 忘잊을
망

[23] 罔談彼短 하고
靡恃己長 하라
남의 단점을 말하지 말고 / 자신의 장점을
믿거나 뽐내지 말라

[24] 信使可覆 하고
器欲難量 이라
믿음이란 서로가 진실로 실천하는 것이고 /
능력의 그릇이란 헤아릴 수 없는 것이다

[31] 資父事君 을
日嚴與敬 이라

부모님께 효도하는 자세로 임금을 모시는
것을 / 엄숙과 공경이라고 말한다

※ 임금을 대하는 신하의 자세를 말함
資바탕자 父부모부 事섬길사 君임금군 曰가로왈 嚴엄할엄 與더불여 敬공
경할경

[32] 孝當竭力 하고
忠則盡命 이라

효도는 마땅히 힘써 다해야 하고 / 충성은
목숨이 다할 때까지 하는 것이다

※ 효도와 충성을 할 때의 마음가짐을 말함
孝효도효 當마땅할당 竭다할갈 力힘력 忠충성충 則곧즉 盡다할진 命목숨
명

[33] 臨深履薄 하고
夙興溫淸 이라

효도는 깊은 물에 임하듯 얇은 얼음을 밟는 듯하고 / 일찍 일어나 부모님이 계신 곳이 따뜻한지 서늘한지 살피는 것이다

* 효도할 때의 마음 자세와 구체적 실천의 예를 말함
臨임할림 深깊을심 履밟을리 薄얇을박 夙일찍숙 興흥할흥 溫따뜻할온 淸서늘할정

[36] 容止若思 하고
言辭安定 이라

사람은 행동하기 전에 충분히 생각하고 / 말할 때에는 안정감이 있게 해야 한다

* 말과 행동은 충분히 숨고르기를 하듯 깊이 있고 신중해야 함을 말함
容얼굴용 止그칠지 若같을약 思생각사 言말씀언 辭말씀사 安편안할안 定바를정

[42] 上和下睦 하고
夫唱婦隨 이라

윗사람이 온화하면 아랫사람도 화목하고 /
부부 사이의 대화는 서로 호응하는 것이다

※ 상하(上下)와 부부(夫婦)간의 예절을 말함
上윗상 和온화할화 下아래하 睦화목목 夫남편부 唱부를창 婦아내부 隨따를수

[43] 外受傅訓 하고
入奉母儀 이라

남자는 밖에 나가 스승의 가르침을 받고 /
여자는 집에 들어가 어머니의 모습을 받든다

※ 자식 교육에 대한 당시 사회적 분위기를 말함. 현대 사회에서는 양성평등의 관점으로 해석해야 함
外밖외 受받을수 傅스승부 訓가르칠훈 入들입 奉받들봉 母어미모 儀거동의

[44] 諸姑伯叔 은
諸姑伯叔은
猶子比兒 이라

모든 고모, 백부, 숙부 등의 친척은 / 조카
를 자신의 자식과 같이 여긴다

* 가족과 친척은 사랑으로 이루어졌음을 말함
諸모두제 姑고모고 伯맏백 叔아저씨숙 猶같을유 子아들자 比견줄비 兒아
해아

[45] 孔懷兄弟 는
同氣連枝 이라

깊이 생각하고 사랑해주는 형제는 / 부모님
께 같은 기운을 받은 나뭇가지와 같다

* 형제관계의 근본을 말함
孔깊을공 懷품을회 兄맏형 弟아우제 同한가지동 氣기운기 連이을연 枝가
지지

[46] 交友投分 하고
切磨箴規 이라

벗을 사귐에 분수에 맞추어 함께 하고 / 서
로 경책하고 이끌며 바르게 일깨워준다

* 친구 관계의 근본을 말함
交사귈교 友벗우 投던질투 分나눌분 切끊을절 磨갈마 箴경계잠 規법규

[103] 親戚故舊 는
老少異糧 이라

친척과 오랜 벗을 대접할 때는 / 노인과 젊
은이에게 맞는 음식을 별도로 준비한다

* 고구(故舊) : 오래된 친구 * 음식을 대접하는 예절을 말함
親친할친 戚친척척 故연고고 舊옛구 老늙을로 少젊을소 異다를이 糧양식
량

[104] 妾御績紡 하고
侍巾帷房 이라

아내는 무명실로 옷감을 짜고 / 집안에서 살림을 맡아서 한다

* 상고시대의 중국 부녀자들의 모습을 묘사함. 현대사회에서는 양성 평등의 관점으로 해석해야 함
妾첩첩 御모실어 績길쌈적 紡길쌈방 侍모실시 巾수건건 帷장막유 房방방

[113] 驢騾犢特 은
駭躍超驤 이라

나귀, 노새, 송아지와 황소는 / 놀라서 뛰며 달린다

* 상고시대에 가축의 번성은 집안과 국가 경제의 근간이 되었음
驢나귀려 騾노새라 犢송아지독 特수소특 駭놀랄해 躍뛸약 超뛸초 驤달릴양

40

나라를 다스리는 예절

[14]　坐朝問道 하고
　　　垂拱平章 이라

임금이 되어도 어진 자에게 도(道)를 묻고
/ 간섭하지 않아도 나라가 잘 다스려진다

* 바른 인성을 갖춘 임금은 신하들이 정치를 잘할 수 있도록 지원함
坐앉을좌 朝아침조 問물을문 道길도 垂드리울수 拱꽂을공 平평할평 章글
장

[15]　愛育黎首 하고
　　　臣伏戎羌 이라

백성을 사랑하여 두루 살펴 기르고 / 다른
나라 사람들까지도 신하로 삼는다

* 려수(黎首) : 백성을 이르는 말
愛사랑애 育기를육 黎검을려 首머리수 臣신하신 伏엎드릴복 戎오랑캐융
羌오랑캐강

[16] 遐邇壹體 하여
率賓歸王 이라

거리에 상관없이 모두가 한 몸과 마음이 되
어 / 백성들을 거느리고 와서 임금의 은덕
(恩德)을 따랐다

* 임금이 덕치(德治)를 실천하면 백성들이 지지와 성원을 보냈음
遐멀하 邇가까울이 壹한일 體몸체 率거느릴솔 賓복종할빈 歸돌아갈귀 王
임금왕

[17] 鳴鳳在樹 하고
白駒食場 이라

상서로운 봉황새는 오동나무 가지에서 소리
내고 / 현명한 흰 망아지는 마당의 풀을 뜯
는다

* 봉황과 흰 망아지는 태평성세 때 나타나는 상서로운 동물
鳴울명 鳳봉새봉 在있을재 樹나무수 白흰백 駒망아지구 食먹을식 場마당
장

[18] 化被草木 하고
      賴及萬方 이라

임금의 교화(敎化)는 풀과 나무에도 입혀지고 / 백성을 사랑하는 마음은 온 세상에 펼쳐진다

* 올바른 임금은 치산치수(治山治水)를 실천하는 마음으로 백성을 아꼈음을 말함

化교화화 被입을피 草풀초 木나무목 賴힘입을뢰 及미칠급 萬일만만 方모방

[39] 學優登仕 하고
      攝職從政 이라

배움이 충만해지면 벼슬에 오르고 / 관직에 종사하며 그 임무를 잘 수행한다

* 올곧게 배워야만 관직을 잘 수행할 수 있음을 말함

學배울학 優넉넉할우 登오를등 仕벼슬사 攝잡을섭 職일직 從좇을종 政정사정

[48] 節義廉退 는
顛沛匪虧 이라

절·의·겸·퇴는 / 넘어지고 자빠져도 군자가 절대로 훼손하거나 잊어서는 안 되는 덕목이다

* 절의겸퇴(節義廉退) : 군자가 지켜야 할 절개와 의리와 청렴과 물러남을 말함
節마디절 義옳을의 廉청렴렴 退물러갈퇴 顛엎어질전 沛자빠질패 匪아닐비 虧이지러질휴

[51] 堅持雅操 하면
好爵自縻 이라

바른 절개를 굳게 지키면 / 좋은 지위를 받고 그 직무를 제대로 수행하게 된다

* 나라의 녹봉(祿俸)을 받는 자는 청렴결백하고 공명정대(公明正大)해야 함을 말함
堅굳을견 持가질지 雅우아할아 操잡을조 好좋아할호 爵벼슬작 自스스로자 縻얽을미

[63] 戸封八縣 하고
家給千兵 이라

공이 큰 신하에게는 팔현(여덟고을)을 주었고 / 제후는 천명의 병사를 거느리게 하였다

* 공을 세운 신하에게는 상(賞)을 주었는데 제후에게는 1천 명의 가병(家兵)을 주었음

戸집호 封봉할봉 八여덟팔 縣고을현 家집가 給줄급 千일천천 兵군사병

[64] 高冠陪輦 하고
驅轂振纓 이라

높은 관을 쓴 신하들은 임금의 수레를 모시고 / 그 뒤를 따라가니 신하들의 갓끈이 흔들린다

* 임금의 수레 행차와 신하들이 쓴 관의 화려한 장식을 묘사함

高높을고 冠갓관 陪모실배 輦수레련 驅몰구 轂바퀴곡 振떨칠진 纓갓끈영

46

[65] 世祿侈富 하니
車駕肥輕 이라

대대손손 녹봉(祿俸)을 받아 호화롭고 부유
하니 / 수레에 멍에를 멘 말은 살찌고 윤기
가 있다

※ 태평성세의 호화로운 관료들의 생활상을 말함
世인간세 祿녹록 侈사치치 富부자부 車수레거 駕멍에가 肥살찔비 輕가벼
울경

[66] 策功茂實 하고
勒碑刻銘 이라

나라의 공적을 기록하여 표창을 주고 / 비
석을 세워서 그 공적의 내용을 새겼다

※ 책공(策功) : 공적을 기록함. 무실(茂實) : 표창을 줌
策꾀책 功공공 茂무성할무 實열매실 勒굴레륵 碑비석비 刻새길각 銘새길
명

[82] 治本於農 하니
務茲稼穡 이라

다스리는 것은 농사를 근본으로 하니 / 씨앗을 심고 거두어들이는 것에 힘쓴다

* 정치하는 것을 농사에 비유함
治다스릴치 本근본본 於늘어 農농사농 務힘쓸무 茲이자 稼심을가 穡거둘색

[83] 俶載南畝 하고
我藝黍稷 이라

봄이면 사람들은 양지바른 남쪽 밭에 씨앗을 뿌리고 / 나는 기장과 피를 심는다

* 서직(黍稷) : 서(黍)는 메기장, 직(稷)은 피 또는 차기장이라 함
俶비로소숙 載실을재 南남녘남 畝이랑묘 我나아 藝심을예 黍기장서 稷피직

48

[84] 稅熟貢新 하고
勸賞黜陟 이라

잘익은 곡식으로 세금을 내는데 햇곡식은 종묘에 올리고 / 부지런한 이를 칭찬하고 게으른 이는 질책하였다

* 권(勸) : 권농관(勸農官)이 농사일을 권장하면서도 벌칙을 주었음. 세금 납부의 의무를 말함

稅거둘세 熟익을숙 貢바칠공 新새신 勸권할권 賞상줄상 黜내칠출 陟오를척

[109] 嫡後嗣續 하니
祭祀蒸嘗 이라

맏아들은 집안의 대를 이으니 / 천자와 제후가 지내는 제사는 증(蒸)과 상(嘗)이다

* 천자와 제후가 지내는 제사 : 봄-사(祠) 여름-약(禴) 가을-상(嘗) 겨울-증(蒸)

嫡맏적 後뒤후 嗣이을사 續이을속 祭제사제 祀제사사 蒸찔증 嘗맛볼상

[110] 稽顙再拜 하니
　　　 悚懼恐惶 이라

이마를 땅에 대고 두 번 조아리니 / 송구하
고 황송하여 삼가 받들어 예(禮)를 다 한다

* 조상님께 정성을 들여 제사지내는 모습
稽조아릴계 顙이마상 再두재 拜절배 悚두려울송 懼두려울구 恐두려울공 惶
두려울황

[114] 誅斬賊盜 하고
　　　 捕獲叛亡 이라

도적의 무리를 베어 제거하고 / 역적과 도망
자는 체포한다

* 국가와 사회의 안정을 위해 반드시 범죄자들을 제거해야 함을 말함
誅벨주 斬벨참 賊도적적 盜도둑도 捕잡을포 獲얻을획 叛배반할반 亡도망칠
망

[122] 矩步引領 하고
俯仰廊廟 이라

걸음걸이는 법도에 맞게 하며 옷깃은 잘 정돈하고 / 조정을 출입할 땐 몸가짐을 조심한다

※ 관료가 조정을 출입할 때 지켜야 할 덕목을 말함
※ 낭묘(廊廟)는 조정을 가리킴

矩법구 步걸음보 引끌인 領거느릴령 俯구부릴부 仰우러를앙 廊행랑랑 廟사당묘

[123] 束帶矜莊 하고
徘徊瞻眺 이라

의관을 제대로 갖추어서 거동을 장엄하게 하고 / 걷게 되면 주위의 사람들이 우러러 본다

※ 긍장(矜莊) : 엄숙하고 장엄한 것을 말함. ※ 조정 관료는 의복을 반듯하게 하고 행동을 엄정하게 하며 예의를 지켜야 함

束묶을속 帶띠대 矜자랑긍 莊씩씩할장 徘배회할배 徊배회할회 瞻볼첨 眺볼조

[124] 孤陋寡聞 하면
愚蒙等誚 이라

내 주장만 하고 들은 바가 적으면 / 어리석
고 우둔하여 꾸짖음을 듣게 된다

※ 덕을 쌓고 식견을 넓혀야 실수하지 않는다는 뜻을 말함

孤외로울고 陋더러울루 寡적을과 聞들을문 愚어리석을우 蒙어릴몽 等무리
등 誚꾸짖을초

역사 속 인물

[7]   劍號巨闕 하고
      珠稱夜光 이라

칼은 구야자가 만든 조나라 거궐이 유명하고 / 구슬은 수나라 왕이 얻은 야광을 말한다

* 구야자(歐冶子) : 춘추시대 사람

劍칼검 號이름호 巨클거 闕집궐 珠구슬주 稱일컬을칭 夜밤야 光빛광

[10] 龍師火帝 하고
      鳥官人皇 이라

예전에 복희씨와 신농씨가 있었고 / 소호씨와 인황씨가 있었다

* 용사(龍師) : 복희씨, 화제(火帝) : 신농씨, 조관(鳥官) : 소호씨, 인황(人皇) : 인황씨
* 상고시대 전설 속 인물들

龍용룡 師스승사 火불화 帝임금제 鳥새조 官벼슬관 人사람인 皇임금황

[11] 始制文字 하고
乃服衣裳 이라

문자가 처음 만들어졌고 / 웃옷과 치마를
만들어 입었다

* 복희씨와 창힐이 끈과 새발자국을 보고 문자를 만들었다고 전함
* 호조(胡曹)라는 사람이 옷을 만드는 법을 가르쳤다고 전함
始비로소시 制지을제 文글월문 字글자자 乃이에내 服옷복 衣옷의 裳치마
상

[12] 推位讓國 은
有虞陶唐 이라

임금 자리를 미루어 주고 나라를 양보한 자
는 / 유우와 도당이다

* 요임금은 순임금에게 자리를 양보함(유우有虞 : 순임금, 도당陶唐 : 요임
금)
推밀추 位자리위 讓사양양 國나라국 有있을유 虞나라우 陶질그릇도 唐당
나라당

[13] 弔民伐罪 는
周發殷湯 이라

백성을 위로하고 죄인을 처벌한 자는 / 주
(周)나라 무왕과 은(殷)나라 탕왕이다

* 탕왕(湯王)은 폭군인 걸왕(桀王)을 제거하였고 무왕(武王)은 폭군인 주왕
(紂王)을 제거함
弔위문할조 民백성민 伐칠벌 罪허물죄 周두루주 發필발 殷나라은 湯끓을
탕

[25] 墨悲絲染 하고
詩讚羔羊 이라

묵적은 맑은 마음의 실이 검게 물들어가는
것을 슬퍼했고 / 시경 고양편에서 문왕의
덕을 찬양 했다

* 묵적(墨翟) : 전국 시대의 사상가. 유가(儒家)의 인(仁)을 비판하고 겸애
(兼愛)를 주장함
墨먹묵 悲슬플비 絲실사 染물들일염 詩글시 讚기릴찬 羔염소고 羊양양

[40]
存以甘棠 하고
去而益詠 이라

소백(召伯)이 백성을 교화했던 감당나무를
보존했고 / 세상을 떠난 그를 위해 모두가
감당시를 읊었다 * 감당(甘棠) : 아가위나무를 말함. 시경(詩
經)『소남(召南)』「감당시(甘棠詩)」를 말함. * 소백(召伯) : 주(周)나라 소공
석(召公奭)을 말함. 남쪽을 순행하다가 감당나무 아래 머무르며 백성들에
게 선정(善政)을 베풀고 덕행(德行)을 실천함

存있을존 以써이 甘달감 棠아가위당 去갈거 而말이을이 益더할익 詠읊을영

[61]
杜藁鍾隷 하고
漆書壁經 이라

초서는 두백도, 예서는 종요가 으뜸이고 /
옻칠로 된 책은 벽 속에서 나온 경서이다

* 두고(杜藁) : 후한(後漢)시대 명필 두백도(杜伯度)가 쓴 초서
* 종예(鍾隷) : 위(魏)나라 때 명필 종요(鍾繇)가 쓴 예서
* 벽경(壁經) : 공자(孔子)의 사당에서 나온 전자(篆字)로 된 죽간서(竹簡書)

杜막을두 藁짚고 鍾쇠북종 隷글씨예 漆옻칠칠 書글서 壁벽벽 經글경

[67] 磻溪伊尹 은
佐時阿衡 이라

강태공과 이윤은 / 어려운 시국을 구했고
아형의 벼슬에 올랐다

* 반계(磻溪) : 강태공을 말함. 주나라 문왕이 반계에서 강태공을 얻었음
* 이윤(伊尹) : 상나라 탕왕이 신야(莘野)에서 이윤을 얻었음
* 아형(阿衡) : 상(商)나라 재상을 말함

磻돌반 溪시내계 伊저이 尹맡윤 佐도울좌 時때시 阿언덕아 衡저울대형

[68] 奄宅曲阜 하니
微旦孰營 이리오

주공(周公)이 노(魯)나라 곡부 땅에서 살았
으니 / 그가 아니면 누가 나라를 경영하겠
는가

* 주공(周公)이 노(魯)나라 곡부(曲阜) 땅을 다스림

奄문득엄 宅집택 曲굽을곡 阜언덕부 微작을미 旦아침단 孰누구숙 營경영
할영

58

[69]

桓公匡合 하고
濟弱扶傾 이라

환공은 천하를 바로잡고 제후들을 모았고 / 약한 자를 구하고 기우는 나라를 지켜주었다

* 제(齊)나라 임금이었던 환공(桓公)의 업적을 칭송함

桓굳셀환 公공변될공 匡바를광 合모을합 濟건널제 弱약할약 扶붙들부 傾기울경

[70]

綺回漢惠 하고
說感武丁 이라

기리계는 한혜(漢惠)를 복위시켰고 / 은나라 부열은 상왕(商王)인 무정을 감동시켰다

* 한혜(漢惠) : 한(漢)나라 임금인 혜제(惠帝)를 말함. * 기(綺) : 상산사호(商山四皓) 중 한명인 기리계(綺里季). * 열(說) : 부열(傅說)을 말함

綺비단기 回돌아올회 漢한수한 惠은혜혜 說기쁠열 感느낄감 武호반무 丁장정정

[71] 俊乂密勿 하고
多士寔寧 이라

재주가 뛰어난 사람들이 나라를 위해 일했고 / 많은 선비들이 있어서 나라가 태평했다

* 인재를 양성하고 등용하는 것은 나라가 번창하는 일이라고 말함
俊준걸준 乂재주예 密빽빽할밀 勿말물 多많을다 士선비사 寔이식 寧편안할녕

[73] 假途滅虢 하고
踐土會盟 이라

진헌공(晉獻公)이 길을 빌려 괵(虢)나라를 차지하고 / 천토(踐土)땅에서 제후들과 맹세하였다

* 진나라가 우(虞)나라의 길을 빌려 괵을 멸망시키고 난 후 우(虞)나라도 멸망시킴
假빌릴가 途길도 滅멸할멸 虢나라괵 踐밟을천 土흙토 會모일회 盟맹세맹

[74] 何遵約法 하고
韓弊煩刑 이라

소하(蕭何)는 법을 정비하여 잘 다스렸고 /
한비자는 번거로운 형벌로 나라의 폐해가
컸다

* 소하(蕭何) : 한(漢)나라 때 사람. 고조(高祖)를 도와 천하를 통일함
* 한비자(韓非子) : 한(韓)나라 때 법치주의(法治主義) 사상가
何어찌하 遵좇을준 約요약할약 法법법 韓나라한 弊해질폐 煩번거로울번 刑형벌형

[75] 起翦頗牧 은
用軍最精 하여

조(趙)나라 장수인 백기 왕전 염파 이목은 /
용병술이 가장 정교하여

* 백기(白起) 왕전(王翦) 염파(廉頗) 이목(李牧)
起일어날기 翦자를전 頗자못파 牧칠목 用쓸용 軍군사군 最가장최 精정밀
할정

[76] 宣威沙漠 하고
　　　馳譽丹靑 이라

사막 땅까지 그 위세를 떨쳤고 / 그들의 얼굴을 그림으로 그려서 명예를 높였다

* 명장(名將)들의 활동을 칭송하고 기록함
宣베풀선 威위엄위 沙모래사 漠아득할막 馳달릴치 譽기릴예 丹붉을단 靑푸를청

[77] 九州禹跡 하고
　　　百郡秦幷 이라

우(禹)임금의 발자취는 구주(九州)이고 / 진시황은 일백 개의 군(郡)을 병합하였다

* 구주(九州) : 기(冀), 연(兗), 청(靑), 서(徐), 양(揚), 형(荊), 예(豫), 양(梁), 옹(雍)
九아홉구 州고을주 禹임금우 跡자취적 百일백백 郡고을군 秦진나라진 幷아우를병

[85] 孟軻敦素 하고
史魚秉直 이라
맹자는 사람의 본바탕을 돈독히 하였고 /
사어는 올곧은 충언을 아뢰었다

* 맹가(孟軻) : 춘추시대 추(鄒)나라 맹자(孟子)를 말함. * 사어(史魚) : 위
(魏)나라 태부(太傅)를 말함. * 맹자와 사어의 행실을 말함
孟맏맹 軻수레가 敦도타울돈 素흴소 史역사사 魚고기어 秉잡을병 直곧을
직

[91] 兩疏見機 하고
解組誰逼 이리오
소광과 소수는 조짐을 미리 알고 / 사직하
고 물러나니 그 누가 상처를 입히겠는가

* 양소(兩疏) : 한 선제(漢宣帝) 때 소광(疏廣)과 소수(疏受)이고 소수는 소
광의 조카임. * 진퇴(進退)의 시기를 잘 판단하여야 함을 말함
兩두량 疏멀소 見볼견 機조짐기 解풀해 組짤조 誰누구수 逼핍박할핍

[99] 耽讀翫市 하니
      寓目囊箱 이라

왕충(王充)이 책방에서 글 읽기를 즐겨하니
/ 그의 눈은 마치 책을 담는 주머니와 상자
같았다

*왕충(王充) : 한(漢)나라 때 사람으로 합리주의 자연주의 사상가
耽즐길탐 讀읽을독 翫구경할완 市저자시 寓붙일우 目눈목 囊주머니낭 箱
상자상

[115] 布射僚丸 하고
       嵇琴阮嘯 이라

여포는 활을 잘 쐈고 초나라 웅의료는 탄환
을 잘 다루었고 / 혜강은 거문고를 잘 탔고
완적은 휘파람소리를 잘 불었다

* 여포(呂布) : 한(漢)나라 사람. * 웅의료(熊宜僚) : 초(楚)나라 사람
* 혜강(嵇康),완적(阮籍) : 위(魏)나라 사람
布베포 射쏠사 僚동관료 丸탄자환 嵇성혜 琴거문고금 阮성완 嘯휘파람소

64

[116]　恬筆倫紙 하고
　　　　鈞巧任釣 이라

몽염은 붓을 만들고 채륜은 종이를 만들었
고 / 마균은 지남거라는 수레를 만들고 공
자는 최상의 낚시대를 만들었다

* 몽염(蒙恬) : 진(秦)나라 사람. * 채륜(蔡倫) :후한(後漢) 사람
* 마균(馬鈞) : 위(魏)나라 사람. * 공자(公子) : 임(任)나라 사람
恬편안할념 筆붓필 倫인륜륜 紙종이지 鈞고를균 巧공교할교 任맡길임 釣
낚시조

[117]　釋紛利俗 하니
　　　　竝皆佳妙 이라

혼란한 세상을 풀어주고 풍속을 이롭게 하였
으니 / 아울러 모두가 아름답고 신묘하였다

* 뛰어난 재능을 가진 자들이 나라와 백성을 위한 일을 하였기에 아름답다
고 여김
釋풀석 紛어지러울분 利이로울리 俗풍속속 竝아우를병 皆모두개 佳아름다
울가 妙묘할묘

65

[118] 毛施淑姿 하여
工嚬妍笑 이라

옛날에 모장과 서시는 그 자태가 아름다워서 / 찡그리거나 웃는 모습이 모두 고왔다

* 모장(毛嬙) : 월(越) 왕. 구천(句踐)의 첩
* 서시(西施) : 월(越)나라 미인. 저라산(苧蘿山)에서 태어남

毛털모 施베풀시 淑맑을숙 姿모양자 工장인공 嚬찡그릴빈 妍고울연 笑웃음소

상고시대의 문화

[6] 金生麗水 하고
玉出崑岡 이라

금은 운남 지역의 여수에서 생산하고 / 옥
은 곤륜산에서 나온다

* 곤강(崑岡) : 중국 서쪽에 있는 곤륜산(崑崙山)을 말함. 형산(荊山)의 남쪽
에 있음
金쇠금 生날생 麗고울려 水물수 玉구슬옥 出날출 崑메곤 岡메강

[8] 果珍李柰 하고
菜重芥薑 이라

과일은 오얏과 능금을 보배로 삼았고 / 나
물은 겨자와 생강을 중요하게 여겼다

* 오얏은 상고시대 임금에게 바치는 진상품. 겨자와 생강은 당시 중요한 약
용식물임
果과실과 珍보배진 李오얏리 柰능금내 菜나물채 重무거울중 芥겨자개 薑
생강강

68

[41] 樂殊貴賤 하고
     禮別尊卑 이라

음악은 직책의 귀하고 천함에 따라 다르고
/ 예절은 신분의 높고 낮음을 분별하여 행
한다

* 귀천(貴賤) : 천자와 제후를 말하고 각각 64명과 36명이 연주함 / 오례(五
禮) : 길(吉),흉(凶),군(軍),빈(賓),가(嘉)
樂풍류악 殊다를수 貴귀할귀 賤천할천 禮예절예 別다를별 尊높을존 卑낮
을비

[52] 都邑華夏 는
     東西二京 이라

예전에 중국의 큰 도읍지는 / 동경(東京)과
서경(西京)이다

* 동경 : 낙양(洛陽)이라고 함. 동주(東周) · 동한(東漢),후한(後漢) · 위
(魏) · 진((晉) · 후조(後趙) · 후위(後魏)의 수도.
* 서경 : 장안(長安)이라고 함. 서주(西周), 진(秦) · 서한(西漢), 전한(前
漢) · 후진(後秦) · 서위(西魏) · 후주(後周), 수(隋), 당(唐)의 수도
都도읍도 邑고을읍 華빛날화 夏여름하 東동녘동 西서녘서 二두이 京서울경

69

[53] 背邙面洛 하고
浮渭據涇 이라
낙양은 망산을 등지고 낙수를 바라보고 /
장안은 위수와 경수가 있다

* 낙양 : 허난성(河南省) 북쪽에 있음. 북망산(北邙山)과 낙수(洛水)가 있음
* 장안 : 산시성(山西省) 시안 시(西安市)의 옛 이름. 위수(渭水)와 경수(涇水)가 있음. * 옛 도읍터의 지형(地形)과 지세(地勢)를 말함
背등배 邙뫼망 面낯면 洛낙수락 浮뜰부 渭위수위 據웅거할거 涇경수경

[54] 宮殿盤鬱 하고
樓觀飛驚 이라
궁과 전이 한곳에 모여 있고 / 멀리 바라보는 높은 누각과 관대는 날아갈 듯 놀랍다

* 제왕(帝王)들이 살던 궁전의 규모를 말함
宮집궁 殿전각전 盤서릴반 鬱울창할울 樓다락루 觀볼관 飛날비 驚놀랄경

[55] 圖寫禽獸 하고
畵綵仙靈 이라

궁전과 누관에는 날짐승과 들짐승을 그렸고
/ 신선과 신령한 것을 곱게 채색하였다

* 궁전 내부의 벽화를 말함

圖그림도 寫베낄사 禽날짐승금 獸들짐승수 畵그림화 綵채색채 仙신선선
靈신령령

[56] 丙舍傍啓 하고
甲帳對楹 이라

신하들이 머무르는 곳을 옆에 두었고 / 진
주로 꾸민 갑장 기둥이 마주하였다

* 병사(丙舍) : 신하들이 머무는 곳
* 갑을장(甲乙帳) : 한무제(漢武帝) 때 진주로 꾸며진 장막

丙남녘병 舍집사 傍곁방 啓열계 甲갑옷갑 帳장막장 對대할대 楹기둥영

[57] 肆筵設席 하고
鼓瑟吹笙 이라

돗자리를 펴서 앉을 자리를 마련하고 / 비
파와 생황을 차례로 연주한다

* 연회를 베풀 때 모습을 말함
肆베풀사 筵자리연 設베풀설 席자리석 鼓두드릴고 瑟비파슬 吹불취 笙생
황생

[58] 陞階納陛 하니
弁轉疑星 이라

신하들이 계단을 올라 임금을 모시니 / 고
관들의 보석장식이 굴러가듯 빛나는 별과
같았다

* 폐(陛) : 임금이 오르는 계단
陞오를승 階섬돌계 納들일납 陛섬돌폐 弁고깔변 轉구를전 疑의심의 星별
성

[59]

右通廣內 하고
左達承明 이라

오른쪽은 광내와 통하고 / 왼쪽은 승명려에
이른다

* 광내(廣內) : 궁중의 도서관. * 승명려(承明廬) : 사서를 교열하는 곳
右오른쪽우 通통할통 廣넓을광 內안내 左왼쪽좌 達통달할달 承이을승 明
밝을명

[60]

旣集墳典 하고
亦聚群英 이라

이미 삼분과 오전을 수집했고 / 또한 여러
인재들을 모았다

* 삼분(三墳) : 삼황(三皇:복희(伏羲), 신농(神農), 황제(皇帝))의 책
* 오전(五典) : 오제(五帝:소호(少昊), 전욱(顓頊), 제곡(帝嚳), 제요(帝堯),
제순(帝舜))의 책
旣이미기 集모을집 墳클분 典법전 亦또역 聚모을취 群무리군 英뛰어날영

[62] 府羅將相 하고
路挾槐卿 이라

부(府)에는 장수와 재상이 줄지어 있고 / 길 왼쪽과 오른쪽은 회화나무와 가시나무를 심었다

* 부(府) : 임금이 거처하는 좌우에 설치한다. *괴(槐) : 회화나무이며 삼공(三公)을 말함. *경(卿) : 삼공 이하 아홉 관직을 말하며 가시나무로 비유함
府고을부 羅벌릴라 將장수장 相재상상 路길로 挾낄협 槐회화나무괴 卿벼슬경

[72] 晉楚更覇 하고
趙魏困橫 이라

진(晉)과 초(楚)가 번갈아 패권을 차지했고 / 조(趙)와 위(魏)는 연횡으로 위기에 빠졌다

* 춘추시대에 진(晉)과 초(楚)가 천하의 패권을 차지함
* 횡(橫) : 전국시대 장의(張儀)가 초(楚) 조(趙) 위(魏) 연(燕) 제(齊) 한(韓)이 동맹(同盟)을 맺어 진(秦)나라를 섬기자는 연횡(連衡)을 말함
晉나라진 楚나라초 更번가를경 覇으뜸패 趙나라조 魏나라위 困곤할곤 橫비낄횡

[78] 嶽宗恒岱 하고
禪主云亭 이라

오악(五嶽) 중에 항산과 대산을 중심으로
삼고 / 천자(天子)는 태산(泰山) 아래 운운
산과 정정산에서 제사지냈다

* 오악(五嶽) : 태산(泰山), 화산(華山), 형산(衡山), 항산(恒山), 숭산(嵩山)
嶽큰산악 宗마루종 恒항상항 岱대산대 禪터닦을선 主임금주 云이를운 亭
정자정

[79] 雁門紫塞 하고
鷄田赤城 이라

안문관은 만리장성에 있고 / 계전과 적성은
옹주(雍州)와 기주(冀州)에 있다

* 안문(雁門) : 안문산에 있는 안문관을 말함
* 자새(紫塞) : 만리장성의 붉은색을 말함
雁기러기안 門문문 紫붉을자 塞막을새 鷄닭계 田밭전 赤붉을적 城재성

[80] 昆池碣石 하고
鉅野洞庭 이라

곤지와 갈석은 연못과 산 이름이고 / 거야와 동정은 넓은 들판과 큰 호수이다

* 곤지(昆池)는 곤명현에 있고 갈석(碣石)은 북평현에 있음
* 거야(鉅野)는 태산의 동쪽에 있고 동정(洞庭)은 양자강 남쪽 팽려(彭蠡)에 있음

昆맏곤 池못지 碣돌갈 石돌석 鉅클거 野들야 洞골동 庭뜰정

[81] 曠遠綿邈 하고
巖岫杳冥 이라

산천은 광대하고 길게 이어졌고 / 산봉우리는 높고 물길은 아득하고도 깊다

* 대륙의 산천을 묘사함

曠빌광 遠멀원 綿이어질면 邈멀막 巖바위암 岫산봉우리수 杳아득할묘 冥어두울명

[105] 紈扇圓潔 하며
銀燭煒煌 이라

흰 명주로 만든 부채는 둥글고 깨끗하며 /
은촛대의 불은 방안을 환하게 밝힌다

※ 상고시대 귀족 가문의 생활상을 말함

紈흰비단환 扇부채선 圓둥글원 潔깨끗할결 銀은은 燭촛불촉 煒빛날위 煌
빛날황

[106] 晝眠夕寐 하니
藍筍象床 이라

한낮에 졸고 저녁에 잠을 자니 / 쪽빛 대자
리와 상아로 장식한 침상이다

※ 호화스럽던 지난날의 태평성세의 생활들을 말함

晝낮주 眠잘면 夕저녁석 寐잘매 藍쪽람 筍대순순 象코끼리상 床상상

[107] 絃歌酒讌 은
接杯擧觴 이라

현악기를 연주하고 노래하는 술잔치는 / 잔
을 잡고 서로에게 번갈아 술을 권한다

* 상고시대 연회를 베풀고 즐기던 모습
絃줄현 歌노래가 酒술주 讌잔치연 接접할접 杯잔배 擧들거 觴잔상

[108] 矯手頓足 하니
悅豫且康 이라

흥겹게 손 흔들고 장단에 발맞춰 춤을 추니
/ 즐겁고 기쁘고 편안하다

* 손님을 맞이하여 한가로이 즐기는 모습
矯들교 手손수 頓두드릴돈 足발족 悅기쁠열 豫미리예 且또차 康편안할강

78

[111] 牋牒簡要 하고
顧答審詳 이라

편지는 내용을 간단히 요약하여 쓰고 / 대답할 때는 차근차근 살핀 후 답한다

* 전(牋) : 윗사람께 올리는 글 *첩(牒)-지위가 동등한 사람에게 보내는 글. * 고(顧) : 안부를 묻는 것 *답(答)- 고(顧)에 대답하는 것
牋편지전 牒편지첩 簡간략할간 要요긴할요 顧돌아볼고 答대답답 審살필심 詳자세할상

[120] 璇璣懸斡 하고
晦魄環照 이라

선기옥형(璇璣玉衡)은 매달려 돌고 / 어두웠다가 밝아지기를 반복하여 비춘다

*선기옥형(璇璣玉衡) : 상고시대 옥(玉)으로 장식한 천체를 관찰하던 기구
璇구슬선 璣구슬기 懸매달현 斡돌알 晦어두울회 魄어두울백 環고리환 照비칠조

[125] 謂語助者_는
焉哉乎也_{이라}

어조사 라고 말하는 것은 / 언(焉) 재(哉) 호
(乎) 야(也)이다

* 어조사는 글귀를 성립시키는 용도로 쓰임
謂이를위 語말씀어 助도울조 者이것자 焉어조사언 哉어조사재 乎어조사호
也어조사야

천자문

(원문 순서)

[1]   天地玄黃하고

        宇宙洪荒이라

본래 하늘은 검고 땅은 누렇고 / 우주는 거칠고 헤아릴 수
없이 아주 넓다

[2]   日月盈昃 하고

        辰宿列張 이라

해와 달은 차고 기울기를 반복하고 / 수많은 별들은 하늘
가에 펼쳐져 있다

[3]   寒來暑往 하고

        秋收冬藏 이라

차가운 것이 오면 더운 것은 사라지고 / 가을에는 정성껏
거두고 겨울에는 잘 저장한다

[4]   閏餘成歲 하고

        律呂調陽 이라

윤달로써 그 한 해를 이뤘고 / 사계절에 맞는 음악을 율과
여로써 연주했다

[5]　　　雲騰致雨 하고

　　　　露結爲霜 이라

수증기가 하늘로 올라가 구름이 되어 비가 내리고 / 공기
중의 수분은 이슬과 서리가 된다

[6]　　　金生麗水 하고

　　　　玉出崑岡 이라

금은 운남 지역의 여수에서 생산하고 / 옥은 곤륜산에서
나온다

[7]　　　劍號巨闕 하고

　　　　珠稱夜光 이라

칼은 구야자가 만든 조나라 거궐이 유명하고 / 구슬은 수
나라 왕이 얻은 야광을 말한다

[8]　　　果珍李柰 하고

　　　　菜重芥薑 이라

과일은 오얏과 능금을 보배로 삼았고 / 나물은 겨자와 생
강을 중요하게 여겼다

[9]   海鹹河淡 하고
       鱗潛羽翔 이라
바닷물은 짜고 민물은 담박하고 / 비늘 있는 것은 물속에
있고 날개 있는 것은 하늘을 난다

[10]   龍師火帝 하고
       鳥官人皇 이라
예전에 복희씨와 신농씨가 있었고 / 소호씨와 인황씨가 있
었다

[11]   始制文字 하고
       乃服衣裳 이라
문자가 처음 만들어졌고 / 웃옷과 치마를 만들어 입었다

[12]   推位讓國 은
       有虞陶唐 이라
임금 자리를 미루어 주고 나라를 양보한 자는 / 유우와 도
당이다

[13]　　弔民伐罪 는

　　　　周發殷湯 이라

백성을 위로하고 죄인을 처벌한 자는 / 주(周)나라 무왕과
은(殷)나라 탕왕이다

[14]　　坐朝問道 하고

　　　　垂拱平章 이라

임금이 되어도 어진 자에게 도(道)를 묻고 / 간섭하지 않
아도 나라가 잘 다스려진다

[15]　　愛育黎首 하고

　　　　臣伏戎羌 이라

백성을 사랑하여 두루 살펴 기르고 / 다른 나라 사람들까
지도 신하로 삼는다

[16]　　遐邇壹體 하여

　　　　率賓歸王 이라

거리에 상관없이 모두가 한 몸과 마음이 되어 / 백성들을
거느리고 와서 임금의 은덕(恩德)을 따랐다

[17]　　鳴鳳在樹 하고
　　　　白駒食場 이라

상서로운 봉황새는 오동나무 가지에서 소리 내고 / 현명한
흰 망아지는 마당의 풀을 뜯는다

[18]　　化被草木 하고
　　　　賴及萬方 이라

임금의 교화(敎化)는 풀과 나무에도 입혀지고 / 백성을 사
랑하는 마음은 온 세상에 펼쳐진다

[19]　　蓋此身髮 은
　　　　四大五常 이라

대체로 나의 몸은 / 사대(하늘, 땅, 임금, 부모) 와 오상(인,
의, 예, 지, 신)으로 되어 있다

[20]　　恭惟鞠養 하니
　　　　豈敢毀傷 이리오

낳아주시고 길러주신 부모님의 은혜를 생각하니 / 어찌 나
의 몸을 함부로 훼손할 수 있겠는가

[21]　　女慕貞烈 하고

　　　　男效才良 이라

여자는 올바름을 생각하고 / 남자는 어진 마음을 본받고
힘쓴다

[22]　　知過必改 하고

　　　　得能莫忘 이라

잘못한 점을 알면 반드시 고치고 / 사람다움을 실천하면서
참된 것을 잊지 말아야 한다

[23]　　罔談彼短 하고

　　　　靡恃己長 하라

남의 단점을 말하지 말고 / 자신의 장점을 믿거나 뽐내지
말라

[24]　　信使可覆 하고

　　　　器欲難量 이라

믿음이란 서로가 진실로 실천하는 것이고 / 능력의 그릇이
란 헤아릴 수 없는 것이다

[25]　　　墨悲絲染 하고
　　　　　詩讚羔羊 이라

묵적은 맑은 마음의 실이 검게 물들어가는 것을 슬퍼했고 / 시경 고양편에서 문왕의 덕을 찬양 했다

[26]　　　景行維賢 하고
　　　　　克念作聖 이라

참됨을 실천하여 세상을 밝히면 어진 사람이 되고 / 깊이 생각하여 자신을 극복하고 도(道)를 실천하면 성인이 된다

[27]　　　德建名立 하고
　　　　　形端表正 이라

사람과 따뜻함을 나누면 명예가 세상에 서고 / 마음속 모습이 단정하면 겉모양도 바르게 된다

[28]　　　空谷傳聲 하고
　　　　　虛堂習聽 이라

덕(德) 있는 자의 말은 산골짜기 메아리같이 멀리 퍼지고 / 덕이 부족한 자는 빈집에서 작은 소리로 말해도 세상이 들을 수 있다

[29]   禍因惡積 하고

　　　　福緣善慶 이라

화는 악한 일이 쌓인 결과이고 / 복은 선량한 일을 실천한
결과이다

[30]   尺璧非寶 하고

　　　　寸陰是競 이라

크고 값진 보석은 보배가 아니고 / 잠깐의 시간도 다투듯
아끼는 것이 참된 보배이다

[31]   資父事君 을

　　　　曰嚴與敬 이라

부모님께 효도하는 자세로 임금을 모시는 것을 / 엄숙과
공경이라고 말한다

[32]   孝當竭力 하고

　　　　忠則盡命 이라

효도는 마땅히 힘써 다해야 하고 / 충성은 목숨이 다할 때
까지 하는 것이다

[33]　　臨深履薄 하고

　　　　夙興溫凊 이라

효도는 깊은 물에 임하듯 얇은 얼음을 밟는 듯하고 / 일찍 일어나 부모님이 계신 곳이 따뜻한지 서늘한지 살피는 것이다

[34]　　似蘭斯馨 하고

　　　　如松之盛 이라

어진 사람은 깊은 계곡의 난초 향과 같고 / 소나무의 무성하고 푸르른 잎과 같다

[35]　　川流不息 하고

　　　　淵澄取暎 이라

어진 사람은 쉼 없이 흐르는 물과 같고 / 맑은 연못에 세상 모든 것을 비추이게 한다

[36]　　容止若思 하고

　　　　言辭安定 이라

사람은 행동하기 전에 충분히 생각하고 / 말할 때에는 안정감이 있게 해야 한다

[37]　　篤初誠美 하고
　　　　慎終宜令 이라

처음 가졌던 몸과 마음자리가 진실로 아름답고 / 마칠 때
까지 마땅히 삼가는 것이다

[38]　　榮業所基 하니
　　　　籍甚無竟 이라

어짊을 실천하는 것은 바탕을 갖추었기 때문이니 / 그 명
예로움은 끝이 없을 것이다

[39]　　學優登仕 하고
　　　　攝職從政 이라

배움이 충만해지면 벼슬에 오르고 / 관직에 종사하며 그
임무를 잘 수행한다

[40]　　存以甘棠 하고
　　　　去而益詠 이라

소백(召伯)이 백성을 교화했던 감당나무를 보존했고 / 세
상을 떠난 그를 위해 모두가 감당시를 읊었다

[41]　　　樂殊貴賤 하고

　　　　禮別尊卑 이라

음악은 직책의 귀하고 천함에 따라 다르고 / 예절은 신분의 높고 낮음을 분별하여 행한다

[42]　　　上和下睦 하고

　　　　夫唱婦隨 이라

윗사람이 온화하면 아랫사람도 화목하고 / 부부 사이의 대화는 서로 호응하는 것이다

[43]　　　外受傅訓 하고

　　　　入奉母儀 이라

남자는 밖에 나가 스승의 가르침을 받고 / 여자는 집에 들어가 어머니의 모습을 받든다

[44]　　　諸姑伯叔 은

　　　　猶子比兒 이라

모든 고모, 백부, 숙부 등의 친척은 / 조카를 자신의 자식과 같이 여긴다

[45]   孔懷兄弟 는

        同氣連枝 이라

깊이 생각하고 사랑해주는 형제는 / 부모님께 같은 기운을
받은 나뭇가지와 같다

[46]   交友投分 하고

        切磨箴規 이라

벗을 사귐에 분수에 맞추어 함께 하고 / 서로 경책하고 이
끌며 바르게 일깨워준다

[47]   仁慈隱惻 을

        造次弗離 이라

어질고 자애롭고 측은한 마음자리를 / 잠시라도 떠나서는
안 된다

[48]   節義廉退 는

        顚沛匪虧 이라

절·의·겸·퇴는 / 넘어지고 자빠져도 군자가 절대로 훼
손하거나 잊어서는 안 되는 덕목이다

[49]   性靜情逸 하고
        心動神疲 이라
성품이 고요하면 마음자리도 편안하고 / 마음자리가 움직이면 정신도 피곤하다

[50]   守眞志滿 하고
        逐物意移 이라
처음 가졌던 참됨을 지키면 뜻이 충만해지고 / 물질만을 쫓으면 처음 품었던 참된 뜻이 변하게 된다

[51]   堅持雅操 하면
        好爵自縻 이라
바른 절개를 굳게 지키면 / 좋은 지위를 받고 그 직무를 제대로 수행하게 된다

[52]   都邑華夏 는
        東西二京 이라
예전에 중국의 큰 도읍지는 / 동경(東京)과 서경(西京)이다

[53]　　背邙面洛 하고

　　　　浮渭據涇 이라

낙양은 망산을 등지고 낙수를 바라보고 / 장안은 위수와
경수가 있다

[54]　　宮殿盤鬱 하고

　　　　樓觀飛驚 이라

궁과 전이 한곳에 모여 있고 / 멀리 바라보는 높은 누각과
관대는 날아갈 듯 놀랍다

[55]　　圖寫禽獸 하고

　　　　畫綵仙靈 이라

궁전과 누관에는 날짐승과 들짐승을 그렸고 / 신선과 신
령한 것을 곱게 채색하였다

[56]　　丙舍傍啓 하고

　　　　甲帳對楹 이라

신하들이 머무르는 곳을 옆에 두었고 / 진주로 꾸민 갑장
기둥이 마주하였다

[57]   肆筵設席 하고

    鼓瑟吹笙 이라

돗자리를 펴서 앉을 자리를 마련하고 / 비파와 생황을 차
례로 연주한다

[58]   陞階納陛 하니

    弁轉疑星 이라

신하들이 계단을 올라 임금을 모시니 / 고관들의 보석장식
이 굴러가듯 빛나는 별과 같았다

[59]   右通廣內 하고

    左達承明 이라

오른쪽은 광내와 통하고 / 왼쪽은 승명려에 이른다

[60]   旣集墳典 하고

    亦聚群英 이라

이미 삼분과 오전을 수집했고 / 또한 여러 인재들을 모았
다

[61]　　杜藁鍾隷 하고

　　　　漆書壁經 이라

초서는 두백도, 예서는 종요가 으뜸이고 /옻칠로 된 책은
벽 속에서 나온 경서이다

[62]　　府羅將相 하고

　　　　路挾槐卿 이라

부(府)에는 장수와 재상이 줄지어 있고 / 길 왼쪽과 오른쪽
은 회화나무와 가시나무를 심었다

[63]　　戶封八縣 하고

　　　　家給千兵 이라

공이 큰 신하에게는 팔현(여덟고을)을 주었고 / 제후는 천
명의 병사를 거느리게 하였다

[64]　　高冠陪輦 하고

　　　　驅轂振纓 이라

높은 관을 쓴 신하들은 임금의 수레를 모시고 / 그 뒤를 따
라가니 신하들의 갓끈이 흔들린다

98

[65]　　世祿侈富 하니
　　　　車駕肥輕 이라
대대손손 녹봉(祿俸)을 받아 호화롭고 부유하니 / 수레에
멍에를 멘 말은 살찌고 윤기가 있다

[66]　　策功茂實 하고
　　　　勒碑刻銘 이라
나라의 공적을 기록하여 표창을 주고 / 비석을 세워서 그
공적의 내용을 새겼다

[67]　　磻溪伊尹 은
　　　　佐時阿衡 이라
강태공과 이윤은 / 어려운 시국을 구했고 아형의 벼슬에
올랐다

[68]　　奄宅曲阜 하니
　　　　微旦孰營 이리오
주공(周公)이 노(魯)나라 곡부 땅에서 살았으니 / 그가 아
니면 누가 나라를 경영하겠는가

[69]　　桓公匡合 하고

　　　　濟弱扶傾 이라

환공은 천하를 바로잡고 제후들을 모았고 / 약한 자를 구
하고 기우는 나라를 지켜주었다

[70]　　綺回漢惠 하고

　　　　說感武丁 이라

기리계는 한혜(漢惠)를 복위시켰고 / 은나라 부열은 상왕
(商王)인 무정을 감동시켰다

[71]　　俊乂密勿 하고

　　　　多士寔寧 이라

재주가 뛰어난 사람들이 나라를 위해 일했고 / 많은 선비
들이 있어서 나라가 태평했다

[72]　　晉楚更覇 하고

　　　　趙魏困橫 이라

진(晉)과 초(楚)가 번갈아 패권을 차지했고 /조(趙)와 위
(魏)는 연횡으로 위기에 빠졌다

[73]　　假途滅虢 하고

　　　　踐土會盟 이라

진헌공(晉獻公)이 길을 빌려 괵(虢)나라를 차지하고 / 천토
(踐土)땅에서 제후들과 맹세하였다

[74]　　何遵約法 하고

　　　　韓弊煩刑 이라

소하(蕭何)는 법을 정비하여 잘 다스렸고 /한비자는 번거
로운 형벌로 나라의 폐해가 컸다

[75]　　起翦頗牧 은

　　　　用軍最精 하여

조(趙)나라 장수인 백기 왕전 염파 이목은 / 용병술이 가장
정교하여

[76]　　宣威沙漠 하고

　　　　馳譽丹靑 이라

사막 땅까지 그 위세를 떨쳤고 / 그들의 얼굴을 그림으로
그려서 명예를 높였다

[77]　　九州禹跡 하고

　　　　百郡秦幷 이라

우(禹)임금의 발자취는 구주(九州)이고 / 진시황은 일백 개
의 군(郡)을 병합하였다

[78]　　嶽宗恒岱 하고

　　　　禪主云亭 이라

오악(五嶽) 중에 항산과 대산을 중심으로 삼고 / 천자(天
子)는 태산(泰山) 아래 운운산과 정정산에서 제사지냈다

[79]　　雁門紫塞 하고

　　　　鷄田赤城 이라

안문관은 만리장성에 있고 / 계전과 적성은 옹주(雍州)와
기주(冀州)에 있다

[80]　　昆池碣石 하고

　　　　鉅野洞庭 이라

곤지와 갈석은 연못과 산 이름이고 / 거야와 동정은 넓은
들판과 큰 호수이다

[81]　　曠遠綿邈 하고
　　　　巖岫杳冥 이라
산천은 광대하고 길게 이어졌고 / 산봉우리는 높고 물길은
아득하고도 깊다

[82]　　治本於農 하니
　　　　務玆稼穡 이라
다스리는 것은 농사를 근본으로 하니 / 씨앗을 심고 거두
어들이는 것에 힘쓴다

[83]　　俶載南畝 하고
　　　　我藝黍稷 이라
봄이면 사람들은 양지바른 남쪽 밭에 씨앗을 뿌리고 / 나
는 기장과 피를 심는다

[84]　　稅熟貢新 하고
　　　　勸賞黜陟 이라
잘익은 곡식으로 세금을 내는데 햇곡식은 종묘에 올리고 /
부지런한 이를 칭찬하고 게으른 이는 질책하였다

[85]   孟軻敦素 하고
        史魚秉直 이라
맹자는 사람의 본바탕을 돈독히 하였고 / 사어는 올곧은
충언을 아뢰었다

[86]   庶幾中庸 이면
        勞謙謹勅 이라
치우치지 않는 마음 자세를 갖추려면 / 힘쓰고 겸손하며
삼가고 경계해야 한다

[87]   聆音察理 하고
        鑑貌辨色 이라
지혜가 높은 사람은 소리를 들어 이치를 살피고 / 그 모습
을 보고 생각을 분별한다

[88]   貽厥嘉猷 하니
        勉其祗植 이라
자손을 위해 진솔한 계획을 전해주니 / 공경하여 그 뜻을
마음속에 새길 것을 힘써라

[89]　　省躬譏誡 하고
　　　　寵增抗極 이라
평소 몸가짐을 살펴서 경계하고 / 임금의 총애가 더하여
극에 달하면 위태로울 것을 근심하라

[90]　　殆辱近恥 이니
　　　　林皐幸卽 이라
세상의 위태로움과 욕됨은 수치스런 일들이 가까이 있다
는 증거이니 / 물러나서 치욕을 멀리하고 숲속에서 수행하
듯 하라

[91]　　兩疏見機 하고
　　　　解組誰逼 이리오
소광과 소수는 조짐을 미리 알고 / 사직하고 물러나니 그
누가 상처를 입히겠는가

[92]　　索居閑處 하니
　　　　沈默寂寥 이라
한가로이 살아가니 / 말없이 그저 고요할 뿐이다

[93]　　求古尋論 하고

　　　　散慮逍遙 이라

옛 성현의 도를 구하고 찾아서 토론하고 / 잡된 생각 떨쳐
내어 세상만사 자유롭다

[94]　　欣奏累遣 하니

　　　　感謝歡招 이라

기분 좋은 소식 들려오고 나쁜 생각 흩어지니 / 슬픔은 사
라지고 기쁜 일이 찾아온다

[95]　　渠荷的歷 하고

　　　　園莽抽條 이라

여름에 핀 도랑의 연꽃이 곱고 화사하고 / 동산의 들풀도
줄기와 가지를 뻗어간다

[96]　　枇杷晩翠 하며

　　　　梧桐早凋 이라

비파나무는 겨울이면 꽃이 피고 푸르며 / 오동나무는 가을
이면 제일 먼저 잎이 떨어진다

[97]   陳根委翳 하고
         落葉飄颻 이라

묵은 나무뿌리가 드러난 채 있고 / 떨어지는 잎새는 이리
저리 나부낀다

[98]   遊鯤獨運 하여
         凌摩絳霄 이라

곤어(鯤魚)는 홀로 물속을 헤엄치다가 / 붕새가 되어서는
붉은 하늘을 마음껏 난다

[99]   耽讀翫市 하니
         寓目囊箱 이라

왕충(王充)이 책방에서 글 읽기를 즐겨하니 / 그의 눈은
마치 책을 담는 주머니와 상자 같았다

[100]   易輶攸畏 하니
         屬耳垣牆 이라

군자는 말을 쉽고 가볍게 하는 것을 두려워 하니 / 누군가
담장에 귀를 붙이고 있음을 명심하라

[101] 具膳飱飯 하니
       適口充腸 이라
여러 가지 맛 좋은 반찬을 만들어서 밥을 먹으니 / 입맛에
맞고 배고픔도 달랜다

[102] 飽飫烹宰 하고
       饑厭糟糠 이라
배불리 먹고 나니 잘 익은 고기도 싫증나고 / 굶주리니 술
지게미와 쌀겨도 싫지 않다

[103] 親戚故舊 는
       老少異糧 이라
친척과 오랜 벗을 대접할 때는 / 노인과 젊은이에게 맞는
음식을 별도로 준비한다

[104] 妾御績紡 하고
       侍巾帷房 이라
아내는 무명실로 옷감을 짜고 / 집안에서 살림을 맡아서
한다

[105]　　紈扇圓潔 하며
　　　　銀燭煒煌 이라

흰 명주로 만든 부채는 둥글고 깨끗하며 /은촛대의 불은
방안을 환하게 밝힌다

[106]　　晝眠夕寐 하니
　　　　藍笋象床 이라

한낮에 졸고 저녁에 잠을 자니 / 쪽빛 대자리와 상아로 장
식한 침상이다

[107]　　絃歌酒讌 은
　　　　接杯擧觴 이라

현악기를 연주하고 노래하는 술잔치는 / 잔을 잡고 서로에
게 번갈아 술을 권한다

[108]　　矯手頓足 하니
　　　　悅豫且康 이라

흥겹게 손 흔들고 장단에 발맞춰 춤을 추니 / 즐겁고 기쁘
고 편안하다

[109] 嫡後嗣續 하니
       祭祀蒸嘗 이라
맏아들은 집안의 대를 이으니 / 천자와 제후가 지내는 제
사는 증(蒸)과 상(嘗)이다

[110] 稽顙再拜 하니
       悚懼恐惶 이라
이마를 땅에 대고 두 번 조아리니 / 송구하고 황송하여 삼
가 받들어 예(禮)를 다 한다

[111] 牋牒簡要 하고
       顧答審詳 이라
편지는 내용을 간단히 요약하여 쓰고 / 대답할 때는 차근
차근 살핀 후 답한다

[112] 骸垢想浴 하고
       執熱願凉 이라
몸에 때가 있으면 목욕할 것을 생각하고 /뜨거운 것을 잡
으면 차가운 것을 찾게 되는 것이다

[113]　驢騾犢特 은

　　　駭躍超驤 이라

나귀, 노새, 송아지와 황소는 / 놀라서 뛰며 달린다

[114]　誅斬賊盜 하고

　　　捕獲叛亡 이라

도적의 무리를 베어 제거하고 / 역적과 도망자는 체포한다

[115]　布射僚丸 하고

　　　嵇琴阮嘯 이라

여포는 활을 잘 쐈고 초나라 웅의료는 탄환을 잘 다루었고 / 혜강은 거문고를 잘 탔고 완적은 휘파람소리를 잘 불었다

[116]　恬筆倫紙 하고

　　　鈞巧任釣 이라

몽염은 붓을 만들고 채륜은 종이를 만들었고 / 마균은 지남거라는 수레를 만들고 공자는 최상의 낚시대를 만들었다

[117]　釋紛利俗 하니
　　　　竝皆佳妙 이라
혼란한 세상을 풀어주고 풍속을 이롭게 하였으니 / 아울러
모두가 아름답고 신묘하였다

[118]　毛施淑姿 하여
　　　　工嚬姸笑 이라
옛날에 모장과 서시는 그 자태가 아름다워서 / 찡그리거나
웃는 모습이 모두 고왔다

[119]　年矢每催 하고
　　　　羲暉朗耀 이라
세월의 시간은 화살같이 빨라서 인간의 삶을 재촉하고 /
빛나는 태양만이 늘 그 자리에서 온 세상을 밝게 비추인다

[120]　璇璣懸斡 하고
　　　　晦魄環照 이라
선기옥형(璇璣玉衡)은 매달려 돌고 / 어두웠다가 밝아지기
를 반복하여 비춘다

[121]   指薪修祜 하니
　　　　永綏吉邵 이라
풀섶의 타는 불씨처럼 자신을 닦으면 복이오니 / 오래도록
편안하고 길함이 높아진다

[122]   矩步引領 하고
　　　　俯仰廊廟 이라
걸음걸이는 법도에 맞게 하며 옷깃은 잘 정돈하고 / 조정
을 출입할 땐 몸가짐을 조심 한다

[123]   束帶矜莊 하고
　　　　徘徊瞻眺 이라
 의관을 제대로 갖추어서 거동을 장엄하게 하고 / 걷게 되
면 주위의 사람들이 우러러 본다

[124]   孤陋寡聞 하면
　　　　愚蒙等誚 이라
내 주장만 하고 들은 바가 적으면 / 어리석고 우둔하여 꾸
짖음을 듣게 된다

[125]   謂語助者 는

　　　　焉哉乎也 이라

어조사 라고 말하는 것은 / 언(焉) 재(哉) 호(乎) 야(也)이다

저자소개

無性 李民炯 (한학자, 서예가)

채비움 서당 훈장
동방대학교대학원 문화예술콘텐츠학과 박사 과정
한국미술협회 회원(서예분과)
관악현대미술대전 초대작가
대한민국학원연합회 초대작가
공동육아와 공동체교육 자문위원
서울 성서초등학교 운영위원회 지역위원 역임

수상
대한민국미술대전(미협) 특선, 입선 / 원각서예문인화대전 대상
탄허선서함양 전국휘호대회 대상 / 대전대신문사 주최 사진공모전 대상 외 다수

전시
초대전 및 개인전 13회

강의
공동육아와 공동체교육 교사 연수 / 서울 마포구 성서초등학교 교사 연수 / 하남 지역
아동센터 학생 고전인문학 강의 / 서울 마포구 성서초등학교 부모인문학 강의 / 서울
마포구립 성미어린이집 부모인문학 강의 / 서울 마포구립 아현어린이집 부모인문학 강
의 / 서울 서대문구립 푸른숲어린이집 부모인문학 강의 외 다수

방송 및 언론
KBS「세상의 아침」 / MBC「다큐멘터리 출가」 / 강서TV「예절을 배우는 아이들」 /
마포FM「송덕호의 마포 속으로」 / 세계일보「편완식이 만난 사람」

기고
불교저널「성미산이야기 /자연생태」 연재

저서
『훈장님과 함께 읽는 천자문』 / 『따라쓰는 천자문』 / 『부모가 함께 읽는 사자소학』 /
『내가 읽고 따라 쓰는 사자소학』 / 『도덕경과 함께 하는 오늘』 / 『108가지 마음 찾기』 /
『성미산 이야기』

현재
서울시 마포구 성산동에서 지역주민들에게 고전 강독과 예절 교육을 강의하며 시, 서
예, 그림, 사진, 저서 등의 작품 활동을 하고 있다

(주제별 번역)

編譯   이민형

펴낸곳   도서출판 도반
펴낸이   이상미
편집   김광호, 이상미
대표전화   031-465-1285
이메일   dobanbooks@naver.com
주소   경기도 안양시 만안구 안양로 332번길 32
홈페이지   http://dobanbooks.co.kr